BRISER LE CODE

Les Écrits des Forges
ont été cofondés par Gatien Lapointe
en 1971 avec la collaboration de
l'Université du Québec à Trois-Rivières.

Société de développement des entreprises culturelles
Québec

La SODEC (Société de développement des entreprises culturelles) et le Conseil des Arts du Canada ont aidé à la publication de cet ouvrage.

Conseil des Arts du Canada **Canada Council for the Arts**

« Nous reconnaissons l'aide financière du gouvernement du Canada par l'entremise du Programme d'Aide au Développement de l'Industrie de l'Édition (PADIÉ) pour nos activités d'édition ».

Illustration : Édit 1, huile de Luc Trottier

Distribution au Québec

En librairie :
Diffusion Prologue
1650, boul. Lionel Bertrand, Boisbriand, J7E 4H4
Téléphone : 1-514-434-0306 / 1-800-363-2864
Télécopieur : 1-514-434-2627 / 1-800-361-8088
Courrier électronique : prologue@prologue.ca

Autres :

Diffusion Collective Radisson
1497, Laviolette, C.P. 335
Trois-Rivières, G9A 5G4
Téléphone : 1-819-379-9813 — Télécopieur : 1-819-376-0774
Courrier électronique : ecrits.desforges@tr.cgocable.ca

Distribution en Europe

Écrits des Forges
6, avenue Édouard Vaillant
93500, Pantin, France
Téléphone : 01 49 42 99 11 — Télécopieur : 01 49 42 99 68
courrier électronique : ecrits.desforges@tr.cgocable.ca

ISBN
Écrits des Forges : 2-89046-803-8

Dépôt légal / Troisième trimestre 2003
BNQ ET BNC

ÉMILE
MARTEL

BRISER LE CODE

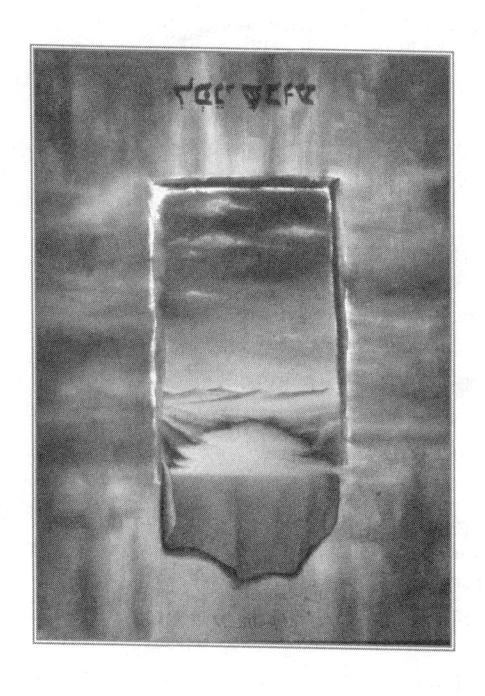

Écrits des Forges
C.P. 335, Trois-Rivières, Québec, Canada G9A 5G4

DU MÊME AUTEUR

Les enfances brisées, Montréal, Éditions du Jour, 1969

L'ombre et le silence, Montréal, Éditions du Jour, 1974

Les gants jetés, Montréal, Les Quinze, éditeur, 1977. Finaliste, Grand prix du livre du Journal de Montréal.

La théorie des trois ponts, Montréal, L'Hexagone, 1990

Ils, Amay, Belgique, L'arbre à paroles, 1990

Vingt fois le corps des femmes, Montréal, Éditions du silence, 1990

Le dictionnaire de cristal, romans, Montréal, L'Hexagone, 1993

Toutes ces lignes ne parler que de toi, Montréal, Éditions du silence, 1994

Pour orchestre et poète seul, Trois-Rivières, Écrits des Forges, 1995. Prix du Gouverneur général pour la poésie de langue française, 1995; finaliste au Grand prix du livre du Journal de Montréal, 1995

For Orchestra and Solo Poet, translated by D.G. Jones, Montréal, The Muses' Co., 1996. Finaliste au prix du Gouverneur général pour la traduction à l'anglais, 1996

Humanité, nouvelle tentative, romans, Montréal, L'Hexagone, 1997

Le faiseur d'îles, Trois-Rivières, Écrits des Forges, 1997

Le cahier venu d'Inde, Montréal, Éditions Roselin, 1998

Le chambreur de l'auberge et les 73 jours du voyageur, Trois-Rivières, Écrits des Forges, 1998

Para orquesta y poeta solo, traduction de Mónica Mansour, Difusión Cultural UNAM et Editorial aldus, México, et Écrits des Forges, Trois-Rivières, 1999

Le don inopiné de lumière, Trois-Rivières, Lèvres Urbaines 31, 1999

Lumière! Lumière!, Trois-Rivières, Écrits des Forges, 2000

J'ai tant bu d'encre que mon corps est plein de mots.

Première partie

Briser le code

Je ne suis pas ici pour rien
On m'a envoyé avec un mandat
« Trouvez le code »
Long silence
« Trouvez le code et brisez-le »
Long silence
Je suis au milieu d'une foule bruyante
depuis plus de soixante ans
Il y a tant de bruit que je ne distingue bien
ni les mots ni les notes
Je cherche toujours.
Long silence
J'ai appris, depuis le temps
qu'il y a en effet un code
Je crois que je pourrais l'avoir trouvé
dans la couleur du cœur d'un poireau
quand on l'ouvre en long avec un couteau tranchant
et il fuit tout de suite
Long silence
Le code pourrait être ailleurs aussi

Cette saison de la petite mort de tout
    est une blessure légère diagonale
    qui finit par le cœur.
Je sais que chaque feuille de chaque arbre avait un
        message à livrer
    et que je n'ai pas su trouver le temps de le lire.

Le code s'échappe ainsi et n'aura révélé à personne
    le sens des choses.

De loin je vois ces réseaux dont le sang s'écoule.
Cette saignée sur le sens de l'univers !

Et qui pourra dorénavant prendre dans sa paume le
        fil de cette lame du langage
    si finement aiguisée qu'elle ondule au vent
    avant de trancher la ligne de bonheur ?

Si c'est pour fendre des marées par le milieu
si c'est pour dénouer le câble de fond qui tient aux
    continents les archipels
si c'est pour renverser des bateaux ou couler des
    radeaux
si c'est donc pour chambouler la planète en
        commençant par la mer
et refaire le monde en contournant la terre
et que tout renaisse plus grand moins étriqué plus
    félin moins bête
alors ne comptez pas sur moi

sauf si j'ai le choix des lames des armes des larmes et
    des griffes.

J'aurai alors besoin de peu de complices
donnez-moi seulement un bon dictionnaire
deux litres d'encre sympathique
et donnez-moi, oh, laissez-moi le petit réceptacle en
    forme de paume

dans lequel on dépose un mot juste avant qu'il ne soit prononcé la première fois et avant même qu'il ne dise ce qu'il veut dire avant qu'il ne rime avec quelque autre mot que ce soit avant qu'il ne fasse un pluriel ou ne tourne un masculin avant qu'il ne glisse vers le prétérit ou qu'il ne termine de choisir ses diphtongues.

Car je vous le dis c'est à partir de cette main
    de ce berceau des espérances

de ce tremplin des mots nouveaux
que viendra le poème sauveur

et ainsi quand il s'agira de remplir les déserts et de creuser des fleuves de rassembler des péninsules de soulever des villes et de guérir des enfants alors vous me trouverez
mon dictionnaire sous le bras
une goutte d'encre sur le bout de la langue
avec une main tendue comme si je mendiais
dans ma paume le creuset des mots
et mes armes et mes larmes et mes griffes et mes lames

tailleront dans la vive chair du langage
la clé du code et la serrure du trésor.

Ce champ est pourtant immense
qui va plus loin que mes yeux ne voient
    et plat et tranquille
pourquoi alors est-ce que le sentier que j'y trace
    est si étroit
et qu'il ne va pas droit
et que quand je m'élève et m'en retourne
dans ma tête
    je constate qu'il fait des courbes et des angles
il fait des lettres
quel est le message
non
quelle est la lettre
    et derrière la lettre
quel est le son
et, le son entendu
    quel est le silence qui le précède
    et quel est le silence qui le suit
c'est dans ces deux silences que je me recroqueville
que je t'attends
que je t'entends
que je me meurs de toi.

Quand les lames entreront dans mon dos
quand des barres briseront mes os
quand des sécheresses innommables feront
craqueler ma peau
quand mes yeux éclateront sous la chaleur

quand des blessures comme des détresses
et des soifs comme une peine d'amour
en finiront de déchirer mon corps

je serai quand même celui qui a tant creusé et tant
mérité de la mort
qu'un bout de papier trouvé
noirci d'une écriture
le sauvera.

Il m'arrive de ne plus croire qu'il y a une mémoire
qui recueille, accueille, réconforte et consigne
chaque chose qui ait jamais existé,
tant passent et rapidement
des événements très petits
qu'on dirait que personne ne voit.

Quand je ferme les yeux,
j'ai ainsi le sentiment de trahir ce qui défile devant
moi.

La pluie prend plusieurs minutes à remplir la main
que je tends
et puisque à la fin de cette longue attente je tremble,
je permets des tempêtes dans le creuset de ma
paume :

je n'ai rien sauvé
et le plus petit lac n'est pas moins homicide
ni fauteur de naufrages
qu'un océan d'équinoxe
et d'ouragan.

Je me demande d'où vient le vent, où vont les
    montagnes
Je me demande ce qui se passe en dessous des choses
ou bien ce qui les pétrifie
prenons l'ambre prenons le lapis-lazuli
les cheveux de l'épi les cils du chevreuil
d'où cela vient
    et pourquoi
        et par quel tortueux chemin.

Le cristal s'est formé
la feuille est tombée
l'heure a passé
la surface a cédé
le creux de la vague été bu.

Rappelez-moi le crime
rappelez-moi le code
trouvez-moi le mot.

La planète entière disparaît et se fond dans ses ruines.
Des continents changent de longitudes
des îles voraces meurent de soif
et des montagnes pleurent des prairies.

Qui dort entre les vagues
et qui court d'arbre en sentier ?

Il ne faut rien jeter
tout compte et doit apparaître dans un grand cahier
    qu'un comptable remplit.

Entre-temps le fleuve a passé
le pont entre les choses s'est allongé
des objets ont fait vide
des îles ont fait continent
et le petit comptable est affolé
    et il fait des barbeaux en tentant de rattraper le
        cheval emporté.

Je suis le petit comptable
    qu'on m'en pardonne la maigreur et la sécheresse
Je suis à la rencontre du dit et du lu
je suis entre le son et la caresse
    dans des endroits peu explorés
    dans des prairies indéchiffrables

Je suis sans nom devant l'innommé

Humblement, je dépose cette supplique à vos pieds
dites-moi que tout n'est pas vain
donnez-moi seulement les clés du code
les abracadabras qu'il faut prononcer
pour que la caverne révèle ses réponses.

Ce que les yeux voient et que la main va chercher
chaque matin dans la vie et dans la ville
ça n'est souvent pas ce que les doigts touchent
il faut fermer un instant les yeux
réécrire la ligne qu'on allait lire.

Rien n'est jamais sûr de tout ce qui a été promis
une méfiance et un doute viennent avec l'aube
ainsi chaque jour est un léger étonnement
que tout ne se soit pas effondré

Un sable glisse entre mes doigts
une eau tiède sur le dos de ma main
une larme de lassitude
je suis comme le porteur des sentiments ébauchés
promeneur des symboles des choses qui passent
des messages intraduisibles parce qu'ils sont trop banals.

Et pourtant c'est bien moi
qui pianote ici ces petites gouttes de mots.

Il faut casser la gueule à la bête
ou embrasser l'ange sur la bouche.
Il faut bouger, bondir, décider, foncer !
Il faut brûler les violoncelles s'ils ne font pas la
musique qu'ils doivent
il faut taillader les toiles si elles ne font pas
s'envoler
il faut effacer les poèmes s'ils ne font pas rugir –
joie tristesse rage envie –.
Il n'y a que cent mille mots et il faut les avoir dits
Il n'y a qu'un son et il faut l'entendre puis le clamer
Il n'y a qu'une couleur et il faut qu'elle m'aveugle
Il n'y a qu'un temps, vous dis-je,
qu'une heure, me dis-je,
qu'un instant et il s'envole
et il s'en va et il va abandonner l'homme ici
faible creuset d'échecs
et poubelle des vérités,
mortier des poudres délétères.

Une seule goutte tombe le long de la joue
si près de soi qu'on croit que quelqu'un d'autre pleure
c'est le temps qui glisse et amène ces heures lasses
ces heures est-ce l'été est-ce l'âge fiévreuses.

La fine lame taillade depuis trop longtemps des
    cicatrices
dans la chair où on ne voit rien
et tout à coup les muscles s'affaissent
je ne comprends pas quels mâts et quelles pyramides
quelles tours et quels souterrains
ont ainsi été minés.

Ouvrir la main pour y chercher un mot
y lire un réconfort.
Je lève la main et il en tombe
des pièces de verre des cristaux ou des poussières
incompréhensibles au premier regard
à la première analyse étonnée.
Ce sont les fascinants déchets de rêves violents
disparus sans laisser d'images pendant les nuits
    difficiles et agitées.
Je ne sais pas si je dois jeter ces messages confus
    ou bien les cacher quelque part
    que le temps en brise les codes
    en prévision d'une étonnante conférence intime
        dans quelque temps ou quelques siècles
et qu'un autre sache les lire.

C'est peut-être aussi un miracle
ces verroteries et débris
ces raclures et scories.

Quel message viendrait par mes mains
et destiné à quelle exaltante foi
faite pour triompher et sauver la race humaine ?

En lettres minuscules, à peine visibles
j'écris de tout petits messages qui ne parlent pas de
grand-chose.

C'est comme une neige noire sur un papier blanc.

Je cherche une encre blanche pour que le mystère
soit encore plus grand.

Et ainsi mon écriture sera comme la neige :
il faudra l'avoir vue tomber pour y croire et en
supposer le mystère.

Une histoire taillée dans la glace
Avec des rebondissements
    amours et hasards forêts et cavernes
Destinée, fatalité, dieux infâmes
Des navires sur des mers criblées de tornades
    meurtrières
Îles sans plages et champs de bataille plats

Derrière l'histoire, une histoire
    et derrière cette dernière
une mélodie, chanson ou morceau de grandes orgues
et plus loin encore
    un poète assis sous un arbre
    le poète assis dans le fauteuil de bois
    qui explique de sa voix douce
        et en utilisant ses mains pour décrire les
            passages les plus marquants
quelque épopée exaltante
    que tout le peuple vient entendre

C'est un moment qui interrompt le temps
c'est une séquence impossible à saisir avec justesse
parce que ce que dit le poète n'est pas visible
et ce qu'il décrit ne s'entend pas bien

Un cercle se forme une circonférence intime
où des milliers de citoyens se trouvent au premier rang

Des sérénités réconfortantes que je tire de ces
    audiences
surgissent parfois des poèmes

et je suis ces jours-là le poète
et je change de mains et je n'ai plus la même voix ni
le même regard
et j'y reviens un autre jour renouvelé

C'est une histoire qui rend l'homme éternel
c'est une histoire qui tranche les frontières et les
murailles
fait fondre les distances et sécher les océans
Et en même temps
elle s'entend à peine à mon oreille qui cherche le
son du sommeil
elle est tout juste une pincée d'épice
une lueur mince
un parfum fin
ou la texture de l'herbe drue dans la paume.

Une histoire pour m'accompagner au bout du monde
des trois cent soixante-cinq jours qui vont venir
Un geste aujourd'hui une mélodie demain
un coin de vieille photo l'autre jour
l'aspérité d'une tristesse la douceur d'un vent oublié
depuis longtemps
et qui soudain souffle mille tempêtes plus tard
une égratignure ou une ride avec larme
un cheveu blanc ou une tache brune sur le dos de la
main
une vague fatigue une incertaine lassitude
presque des repos immérités

L'entendre, cette histoire
devoir plus tard en témoigner
    en changer l'issue ou en forcer le rebondissement
c'est en faire une partie essentielle de sa propre vie
c'est en devenir citoyen
c'est l'occuper et en être le pays

Je suis le pays de l'histoire que je veux te raconter
je circule parmi ses anecdotes
    comme on range des villages sur une carte qu'on
    met à jour

Pendant que je dors l'histoire reprend ses géographies
puis le poète a une fois de plus réponse à tout
il prononce le mot secret caché codé chiffré

De mes mains coulent des explications :
    nouveaux personnages et vieux héros ramenés
    morts ressuscités
    amours anciennes qui rebondissent
    enfants revenus grands de contrées lointaines

Mes mots ne sont pas de moi
tout comme je ne suis pas de ce corps
autrement que pour le service des brûlures et des
    cicatrices.

Ma petite mort et ma petite rage
ma grande vie et mes orages
mes livres et mes courages
je n'occupe plus maintenant que le rebord éloigné du
    monde
la courbe charnue de la lèvre
que les mots ne touchent pas quand ils passent.

J'ai fui à toute force et à toute peur
je suis ici au centre de mes appréhensions
blessé par mes intentions
    alourdi par mes proies
    maître d'aucun butin
je suis le pauvre de toutes richesses
et le plus faramineux des potentats
puisque je peux venir ici
au milieu du milieu du désert de la désespérance
et engueuler l'océan et mépriser la terre et rejeter le ciel
et encore triompher à cause des mots
                    à cause de la musique
                    à cause de la musique des mots
et de la colère qui m'apaise et de la rage qui me caresse.

Je construis mon île pour ce soir :
un vent doux et un air à goût de sel
    et toucher du bout des doigts
des plantes rugueuses au vert presque noir.

Ni les îles, ni les continents
ni la vie humaine
ni la beauté des écritures
ne répondent à mes simples questions.

Je serais debout la nuit
le noir serait le plus obscur qu'on puisse peindre
et sur la montagne
    d'où on ne verrait rien du tout aussi loin qu'on
        regarde
je dresserais les bras et mes mains vibreraient.

Comme des éclairs d'obscurité surgis
dans le noir absolu vers le ciel noir
je lancerais de chacun de mes doigts
les racines assoiffées de lumière
de planètes inversées que d'autres univers attendent.

Je ne veux plus faire ces maigres chemins
ces labours d'une seule saison
ces récoltes d'un seul repas
ces fruits d'une seule confiture
Je veux faire l'indéfaisable, établir l'éternel.

Un système solaire au soleil sans brûlures
une idée de la mer et de la lumière
    comme un vêtement de soie flottant sur le corps
dans l'air des brises épicées
entre les doigts des cascades fraîches.

Il faut qu'une page soit tournée et laisse venir le
    nouveau langage
qu'un grand livre sans fautes et comme une musique
    s'ouvre.
C'est de ce nouveau cosmos
dont je souhaiterais être le porteur des codes
et le livreur des paix.

Je contemple les peuples ainsi promis au bonheur
les couleurs réconciliées avec la lumière du noir
    originel
la texture capiteuse des parfums renouvelés
les nourritures faites pour les satiétés.

Observatoire des sentiments
dépositaire de mes humeurs
raconteur de mes vides
je ramène en mots des fluides
qui ne sont pas faits pour le parfum ou la couleur
    la liqueur ou le tactile.

Témoin voyeur d'un univers de guerre
je ne sais que faire des couteaux dans mes mains.

Cette écriture déroulée dans la nuit à la lumière
    ronde
n'éclaircit pas ma vie
et elle ne dit pas pourquoi je dis ce que je dis.

C'est une addition d'unités qui comptent toutes,
les mots dans les lignes
les lignes dans les pages
les pages dans les volumes
les volumes dans le temps qui n'est plus censé
    s'arrêter

Je suis le mot numéro trois millions huit cent quarante-deux mille sept cent quatre-vingt quatre et je viens d'être dépassé par le mot numéro trois millions huit cent quarante-deux mille sept cent quatre-vingt cinq.

Est-ce une victoire ?

Mieux vaut le silence
pendant des décennies et des siècles où une musique
n'est pas jouée
que de découvrir une partition vide
quand on dépoussière un antiphonaire.

Un corps plein de larmes prêtes à déborder au
moindre tangage.

On est prêt à être mort pour toutes les causes
auxquelles on a survécu.

Entre la pluie et l'orage
dans les secondes qui séparent l'éclair du
tonnerre
être ainsi loin de soi
loin de sa paix
et pourtant au centre de ses racines
planté comme un arbre absurde au milieu d'une
scierie.

Je me tourmente en très lents gestes qui tordent mes
écorces.

Ma mort sourit d'une bouche vorace dans sa guérite
et ne doute jamais du futur des saisons :
elle est pour l'instant une ambitieuse survivante.

Car dire ainsi que des choses sont rompues alors que
tout est courbe…

De minces lamelles de sable s'immiscent dans le roc
parfois des cavernes s'ouvrent ainsi pour la première
fois à la lumière blonde
et on parle d'oasis et de soleil brûlant cent pieds sous
terre.

Pour ma part
dans la catégorie des survivants j'appartiens au sous-
groupe des retardataires
et je ne doute pas qu'on viendra bientôt livrer ma
note

mais je devais partir pour si loin
et de façon tellement définitive
que mon adresse s'est effacée de tous les livres
et même les chiffres cloués sur ma porte
parlent de quelqu'un d'autre
et d'ailleurs.

Je nomme le sens du ciel
la direction des signes
J'écris des mots sans lettres et sans sons :
le jour est ce jour-ci
cette paillette ou ce grain de sable
lumière et solidité qui ne reviendront jamais
que l'univers entier attendait avec impatience jusqu'à
ce matin
qu'il faut maintenant oublier
déçu ou reconnaissant
pour accueillir demain.

Rien n'a de cesse ni de commencement.
Je ne verrai que merveille dans tous les temps qu'il
me reste
et que je nommerai.
Quand je serai mort et mort plus encore
mon décryptage unique, mien, signé, inaliénable
restera.

Je suis, en cela, immortel.

Qui saura dire le contraire ?
Qui me l'affirmera en face ?
Une petite éternité personnelle.

J'entre dans cette brise et mes mains dans mes gants
tiennent les pans d'un vêtement ample.
Le temps de cette promenade
le temps de la soudaine poussée du vent
je dessine un profil unique et définitif
qui tient à des milliers de jours vécus.

Ce sont des rêves éveillés que je rêve ainsi
et le sommeil ne fait pas mieux pour moi.
Tandis que mes doigts fuient sur le clavier
je ferme les yeux et le code secret
devient moins impénétrable.

Couleurs : ainsi je happe ce vieux rose et ces saumons
    qui fondent
la porosité des gris
le bleu mince et transparent qui cache d'autres bleus
    transparents
comme les trous sans fond des mers océanes
destinées infiniment à servir de filtres aux yeux émus
    une version d'eau douce des larmes.
Et le violet qui trace des sillons aquarelles dans le
    papier assoiffé.

Dans mon oreille déposez
et pour que personne d'autre n'entende
le mot seulement
seulement le mot de la chanson
dans mon oreille le mot de cette chanson d'amour
dont je vous demanderai tantôt les notes
et le piano ou bien les violons lointains
comme le vent qui soulève ce voile
et d'où je sens venir ce paysage italien.

Madame dans mon oreille
toute la nature et des branches qui bougent et des
    feuilles déjà tournées vers la pluie
d'abord les mots et tantôt les notes
et puis toute la chanson
je serai comme un objet entre vos lèvres
je serai comme l'amoureux le plus goulu entre vos seins
je ferai entre vos jambes aussi selon les grandes
    musiques et les petits orchestres
je dirai les trois mots qu'il manque à la chanson
et les trois notes de la fin de la mélodie
là où elle fait frontière avec le silence et encore un peu
    au-delà.

Nous serons, vous et moi, de l'ordre des alliances
comme ces continents qui dérivent depuis des
    millénaires
juste au moment où ils embrassent toutes les îles
comme des déserts dont chaque grain de sable
choisit soudain le miroir d'une goutte d'eau.

Nous transformerons tout ce qui est sec et seul en
l'océan
et les lacs en la compagnie de toutes les brises
et tout ce qui tranchait écrira dans votre chair offerte
le petit tracé-blessure de ma signature sur votre sein
et les paraphes extravagants de vos ongles dans mon
dos.

Nous voyagerons ainsi dans le flou
bêtes agissantes des marées hautes
chevaux emportés dans des prairies exsangues
moutons comptés dans les nuits insomniaques
pèlerins entêtés des sanctuaires éventés
que des buissons parfumés recouvrent.

Ouvrez cette bouche et que le premier mot
glisse ainsi dans mon oreille
et quand vous verrez exploser mes yeux
alors chantez, madame, chantez doucement

doucement

doucement la chanson avec des lala des lalala
comme des gouttes qui glissent de la feuille du
dessus vers la feuille du dessous
et à mesure que ces cimeterres trancheront mon ouïe
les cicatrices formeront fleur dans le registre de mes
douleurs
et rien ne me fera autant mal que si vous vous
arrêtez de chanter, madame,
que si vous menacez de ne pas chanter tout à l'heure

que si vous fermez vos lèvres et fermez vos jambes
et n'ouvrez plus avec vos ongles les blessures de mes
yeux
explosés depuis le premier mot
aveugles depuis la première note.

Faites ce que je vous dis
faites comme j'en supporte l'audace
puisque je vous tiens à ma merci
puisque ce mot que j'exige de vous est de nous.

Dites. Dites l'antienne, la litanie, le répons et le
motet
tout m'est sacré et divin dans la douleur de votre
musique.

Mourir, madame, de notre mort à nous deux
singulière et partagée
et nager un instant une heure, une vie
au fil de cette eau saline
au fil de ce sabre mortifère
au creux de cette tombe
avec les collines et les vallées d'un lit
où l'on fait des enfants
où on leur donne naissance
et où on recommence encore et encore et encore
à prononcer le mot.

En partant du pied de l'escalier monumental
ma vocation
est de visiter tous les recoins du langage.

Phrases

Les pièces en enfilade offrent chacune une surprise, chacune une histoire.

Ponctuation

Les corridors sans fin sont comme des tunnels au bout desquels une petite fenêtre annonce une nouvelle perspective sur les jardins, sur les plantations, sur les étangs et les vergers.

Mots

Les meubles n'accusent aucune habitude humaine, les cheminées ne semblent avoir jamais chauffé, les tableaux et les tentures ne gardent le regard de personne. S'il n'y a pas d'écho dans ces murs, il n'y a pas eu de musique non plus : les serrures des clavecins et des dulcimers sont inutilisées, les cordes des luths et des mandolines ne semblent jamais avoir vibré.

Langue

Ce château aux dimensions inquiétantes recèle un secret que je devrai d'abord écrire, que je suis peut-être en train d'écrire ; puis je devrai le cacher ; l'oublier ; viendra ensuite ma recherche pour le découvrir, pendant la pérégrination de toute une vie. Le révéler ensuite.

J'étais enfant encore
quand j'ai trouvé devant moi le grand
escalier monumental
et j'ai commencé à en gravir les marches.
Une tristesse d'orphelin.

Dictionnaire

J'ai progressé dans l'architecture de cette monarchie abandonnée, de ces rêves d'artistes morts depuis des générations. Avec le temps, j'ai trouvé la nourriture qu'il me fallait pour survivre, les coins confortables pour dormir, les livres pour aiguiser ma curiosité et répondre à mes interrogations, les miroirs pour suivre les transformations de mon corps, les outils pour fabriquer ce que je voulais inventer.

Littérature

Mon affaire à moi, c'est de faire mentir le dernier instant, de le transformer en un premier instant. Mon affaire à moi, c'est que je ne vais pas arrêter de commencer.

Je suis chargé de vous dire que nous ne
mourrons pas
quand nous aurons fini de vivre
nous recommencerons ici même,
dans le château qu'on a livré à notre
curiosité,
dans le labyrinthe qu'on impose à notre
déchiffrement.

Il suffit de se poser correctement la question.
Il suffit d'explorer une à une la totalité des
possibilités de réponse.
Rien ne saurait interrompre cette poursuite. Tout
peut durer.
Je ne suis pas pressé d'en finir avec les combles et les douves de ce palais qui n'est qu'un seul des lieux à explorer au milieu de ces terres étoilées de mille palais similaires et auxquels correspondent, de l'autre côté de la planète des miroirs qui reproduisent à l'infini d'autres planètes où les palais sont comme les grains de sable d'une plage infinie.

Dans chaque palais de chaque planète qui forme un grain de sable de cette plage innombrable, il y aura, quand j'aurai trouvé l'exacte question qu'il faut poser pour revenir au pied des marches de l'escalier monumental, un autre enfant qui comme moi, recommencera l'exploration pour toujours pour toujours.

Je reviendrai tout à l'heure.
Attendez-moi ici, au pied des marches de l'escalier
monumental.

Avec des mots sûrement venus de très loin
tant la poussière qui les enveloppe a d'étranges
odeurs
quelques-uns blottis dans la glace sèche et enivrés de
fumerolles qui crissent très bas
d'autres dans de petits sacs de jute attachés avec des
cordes de couleur vive
la plupart simplement cueillis à grandes poignées ou
s'ils semblent fragiles avec le gras des doigts
le long des sentiers et des torrents
mais un certain nombre entre les feuilles sèches et
les tiges vertes de parterres

avec ces mots un à un déposés côte à côte en lignes
inégales sur du papier
sous une lumière délicatement saupoudrée
je me demande ce qu'il sera possible de laisser dire
au langage pour que l'homme
ce matin ou demain dans cent ans dans dix siècles
désespère moins.

Je ne sais pas je ne sais jamais ce que les lettres vont
construire
et une fois échafaudés les mots font bien ce qu'ils
veulent
du plus banal au plus hermétique.

Il est difficile de toujours rester alerte pour être
témoin de l'instant même où le sens explose.

Le son est si petit et le cataclysme vient sans
avertissement.

On somnole ou on s'endort et le dernier regard
qu'on a eu fixait neuf voyelles et six consonnes
Un cillement de couleur saisit notre attention, nous
sort de l'assoupissement
une image est en train de sourdre avec quatre
diphtongues
et un pluriel qui nous fait nous retourner.

Non tout n'a pas été dit
et les mots qui viennent d'arriver
et qu'une magique main la nuit dernière a
déposés près de chez nous
et ceux qui vont venir demain ou dans mille ans
que de petites mains à la peau sèche et ravinée
sont en train
d'enrober dans des feuilles d'arbres fruitiers
d'attacher avec des fils d'aneth et des branchettes
de bourrache
pour allonger leurs voyelles ou aiguiser leur
singulier
ces mots-là, je les attends pour vous les lire.

L'Île-du-Refuge-et-d'Avant-la-Mort

Décrire les grains de sable
la forme de chacun
sa façon de faire voisinage avec un autre

Et ainsi de suite

Je n'estime pas que ce qui restera sans nom après cet
exercice méritera d'avoir existé

Il ne s'agit pas de choses, il s'agit de mots

D'abord, il y eut le mot
Puis le mot a conçu le pluriel

Récemment, les chiffres ont lancé leur offensive pour
nommer tout
mais un code binaire n'allait pas résoudre les
problèmes de l'univers

J'inscris dans mon petit cahier secret
un nouveau poème
musique unique et d'une seule note
digne de symphonies palpables
nuance millénaire d'une couleur inouïe.

La plus simple poésie désempare parfois
une place choisie au milieu des dictionnaires
essentiels

un titre exalté parmi les nommeurs libres
sapeurs souterrains de la nomenclature
mais fournisseurs des plus belles vues

une fois les fortifications de l'habitude réduites
et l'œil ouvert à nouveau

Dans un recoin de ma bibliothèque
je vais chercher des incunables jaunis et de grands
    livres plus récents

J'en tourne les pages lentement
    faisant de chaque illustration un voyage
    de chaque histoire une partie de mon passé
        où je me donne le beau rôle :

parmi les moulins que j'ai investis dans la Manche
les pèlerinages que j'ai faits à Compostelle
les murailles de Terre Sainte que j'ai assiégées
les déserts que j'ai traversés à la tête de caravanes
    porteuses de dattes et d'épices
les îles où j'ai rejoint Gulliver ou Robinson
les cascades d'altitude dont l'eau m'a enivré
les cathédrales souterraines
    dont j'ai joint les piliers avec quelques gouttes de
        salive

je m'endors d'un autre épuisement

    je ne sais si c'est du sable ou de l'or qui coule de
        ma main.

Je ne sais rien dire des rêves que je fais ensuite
    des traces que je laisse sur des fenêtres
        des parchemins
    sur des sentiers et des champs de bataille

Je vous ai invité à visiter le vent de mes lacs

Je vous indique
pour que vous les parcouriez seul et en reveniez
grandi
les accès secrets du sentier de mes arrière-pays.

Il n'y a qu'une route à suivre
vous verrez des précipices et des vallées surprenantes

vous saisirez des pierres comme des rasoirs qui laboureront les paumes de vos mains déjà meurtries par les plantes abrasives auxquelles vous vous serez accroché

ainsi
quand vous saluerez à distance les chasseurs et les
pêcheurs du pays
ils croiront que vous venez d'égorger quelqu'un

et ce sera dorénavant votre réputation

tout le temps
vos bras garderont l'angle du faucheur
la sueur du laboureur
l'accueil de l'amant
les pulsions de l'alpiniste
et vous continuerez pourtant de marcher dans votre
tête
comme dans les plates plaines d'une pelouse courte
et moelleuse.

Mon paysage
celui que je vous offre
fera de votre corps une lamentable blessure dont
vous ne souffrirez pas

Vous ne voudrez pas sentir les coupures et les
égratignures
parce que votre volonté aura choisi la surprise et la
confiance,
et vous prendrez votre sang qui coule
et le tracé annoncé de vos cicatrices
pour des bagatelles insignifiantes
tentatives de vous distraire du propos de votre
visite chez moi
trouver le mot-rivage
entendre la phrase-océane

C'est à ce bas prix que la vérité vous sera révélée,
vous l'aurez senti dès le début.

Je vous ai dit :

j'habite un lieu qui est sur la côte et au milieu du
continent ;
une île est mon repaire et elle s'abreuve à cinq
océans
pourtant, c'est une péninsule mince comme un Chili
coupante comme un Himalaya

j'ai un vent pour chaque sentiment
les ailes de mes moulins battent comme celles des
cormorans

dans le silence ahurissant de stupéfiantes
tempêtes

il n'y a pas de cimetière chez moi et tout le monde
en sort vivant

le souffle court quand apparaît la personne qu'on
aime
c'est chez moi que ça a été inventé

la goutte de sueur sur la lèvre après l'amour
elle vient d'une source de mon jardin

le frisson et le tremblement la balafre et la brûlure
la piqûre et la guêpe
font partie des récoltes quotidiennes des plantations
barbares
séduisantes sirènes des refuges ouverts à mes
visiteurs.

Je vous vois maintenant arriver en chancelant
quand vous sentez ma présence
le vocabulaire de la reconnaissance s'amoncelle
derrière votre langue
et ne la franchit pas

Je ne dis rien ; je ne dis plus rien ; j'ai déjà bien trop
parlé.

À vendre ainsi la mèche quant au pouvoir de la
poésie
je permets que le mystère soit percé
qui donne accès au bonheur
par la grâce du mot définitif

Dans le droit des poètes je n'ai pas le droit de faire
cela
mais le droit des poètes est quelque part en deçà des
peines et des condamnations

Je suis donc protégé, dans le partage du Grand
Secret, par votre gratitude.

Vous ne direz rien, à personne, n'est-ce pas?

Si on vous demande
dites seulement qu'un grand cauchemar est venu
aiguiser ses couteaux sur vous
mais que vous dormiez trop profondément pour en
saisir le fil.

Et un cauchemar sans fil, c'est comme un rêve
ordinaire
ça vient
ça repart
ça hache la nuit en tranches indéchiffrables
et le matin on a un peu mal au dos
un peu mal à la tête
un peu mal au repos.

C'est un temps où je voudrais savoir
ce qu'il restera de toutes ces fragilités qui
m'entourent,
voir par où commencera à pourrir chaque objet,
quels seront les premiers signes de la mort :
peut-être comme une fleur,
ou une zone blanchâtre
comme un petit nuage encourageant
qui finit par ne pleuvoir que des peines.

Mais où sont les tristesses premières,
les hésitations du doute,
les signatures du destin,
la séduction des menaces légères,
les premiers grondements longtemps avant l'orage ?

Je lis dans ce qui n'a pas de mots
et je ne sais pas comment décrire ce que je vois ;
les histoires qui me sont racontées
s'appuient sur des voisinages de couleurs,
des vagues d'odeurs saisies après le passage d'une
inconnue,
ou dans des livres laissés ouverts
sur la table d'une bibliothèque déserte.

Je suis témoin et voyeur,
indiscret spectateur muet de l'intimité des autres,
des problèmes de leurs frontières,
des gestes qu'ils font et de leurs mouvements
pendant qu'ils dorment.

Comme géographe et raconteur de la terre,
je m'éloigne souvent des îles de mes factoreries
    lointaines
pour entrer dans les maisons
dans les pièces dans les meubles dans les tiroirs
et dans les boîtes verrouillées à clef.
Dans la petitesse poussiéreuse de ces curiosités
    minuscules
je cueille un repos éblouissant.

Je me prépare ainsi à bondir, un Groenland dans les
    bras,
prêt à calibrer à nouveau le niveau d'un océan ;
et je change par la même occasion le cours global des
    métaux que je cache près de la surface
afin qu'ils affleurent les lendemains de pluie
et lancent en une chasse pleine d'espérance et de
    risque
les rêveurs impatients de fades villes lointaines.

Parce que je suis poète
les villes me sont naturellement ouvertes
je fais ainsi le partage dans les campagnes
entre l'eau vive et les marécages ;
je suis les sillons comme des ruelles
et on m'a souvent vu courir la nuit
sur les trottoirs des rivières.

La paume de mes mains reproduit des itinéraires
qui me permettront un jour,
quand je le souhaiterai,

de m'évader vers des quartiers
mal famés connus pour leurs merveilles,
tatouages qui rendent beau
et breuvages qui rendent fou.

Les joies complexes de la cartographie m'exposent
    involontairement
à des contradictions qui insultent la physique :
je me trouve souvent au bord de précipices
inventés pour ma seule catastrophe.

Des trompettes lancées du haut de montagne noires
attrapent en tombant des stridences qui labourent
    mon dos ;
mes yeux ne se ferment plus tant la lumière est
    bavarde ;
tandis que mes pieds plantent des forêts
    odoriférantes,
des insectes diaphanes
par milliards
influencent le soleil.

J'écris ces mots
et je décris mes gestes
mais je ne rends pas compte avec justesse
des dettes que j'ai accumulées
dans la finance des inventions.

Se trouvera-t-il un lecteur un jour,
le citoyen d'une de mes îles,
qui brise la boule
et libère le sens des choses
pour que d'autres insulaires
les comprennent enfin
et en soient exaucés ?

Je voudrais que le sang des feuilles vertes
celui qui vibre quand il ne vente pas
celui que des doigts d'enfants boivent
parce qu'il savent goûter ces choses
je voudrais que ce sang reprenne la chanson de la racine
réconforte en la répétant
les bêtes qui rampent
et les rongeurs qui rôdent.

Je voudrais qu'entre les pierres et les vagues
dans les poreuses cavernes des calanques
là où on prétend que l'eau bavarde et couvre tous les bruits
s'entende le dialogue sec et austère des respirations des déserts
dont les vagues sont si lentes
et les couleurs moins changeantes.

Je voudrais jeter de très haut
sur des tambours grands comme des plaines
des troncs et des îles
des squelettes et des miroirs
des couleurs et des liqueurs
et puis quelques cloches et des tissus lourds
pour entendre le feu et les fêlures de la planète
les sifflements ou les grondements des monstres souterrains
qu'un tel chahut réveillerait.

Je me demande d'où vient le sang qui circule dans
mes veines
et si une fontaine un jour en fera cascade.

C'est un venin comme c'est un parfum.

Je ne sais pas ce qu'est mon sang
et je ne comprends pas quel leurre il viendra tacher
si je suis taureau,
de quelle blessure il coulera si une balle ou un
couteau,
de quel Christ crucifié,
quel rituel il illustrera,
si des viscères ou une lame,
une larme ou bien des pactes sacrés, sacrifices et
immolations.

Mais je sais que mon sang séchera,
toute affaire cessante,
le jour où le dernier mot aura été écrit.

Et la couleur de la dernière lettre,
l'illustration du dernier son
seront comme une signature sur une gigantesque
toile blanche
dressée par-dessus la vallée et visible jusqu'à la mer.

Un fil, un ruban de couleur verte et qui passe à
l'horizontale
soulevé par un vent que je ne sens pas d'autre part.

Je m'attends à ce qu'un minuscule personnage le
parcoure
comme s'il s'agissait d'une route en Irlande.
C'est une affaire qui a lieu dans l'espace
mais ne demande rien au temps.
Pas un rêve non plus ; je suis éveillé.
Il me semble que dans quelques instants
le parfum de l'événement parviendra à mes narines
puis viendra le son
un sifflement sec.

Je bats des paupières et le ruban est parti mais il y a
un vide récent
devant mes yeux.

Quelque chose était là et l'odeur qui reste n'est pas
innocente.

Une sorte de nuit descend venant de la droite
et elle occupe un à un les espaces géométriques
Il ne reste que deux rectangles
pour retenir la lumière et vibrer encore un peu,
si peu
du vent du ruban vert.

Je n'insiste pas pour garder ouvertes ces deux
    fenêtres
l'obscurité m'apporte tant de richesse
de telles étendues maritimes
des musiques si élevées
que je ne tiens plus tellement au jour
    s'il faut le maintenir à bout de cils
                        à bout de doigts.

Mon corps ne suit pas le reste de moi.
Immobile de partout j'abandonne à la pointe de ma
    langue
l'échange quadrangulaire des sensations qu'il me reste.
Je pourrais tout aussi bien être suspendu dans l'espace
qu'écrasé face contre terre.

Cascade et ruisseau
    lèvres charnues et grimées
        satins d'autres couleurs
                ombres de vallées de chair féminine
                        déserts plantés d'eaux douces
sels et plombs   bois et cuivres
    des pierres translucides ocre ou rouges
    taillées à force de caresses répétées.

Des gouttes s'écrasent et leur sphère ne se brise pas :
    c'est par cela que je commence à comprendre
        l'espace où je suis.
Si je pouvais contrôler mes paupières
je refuserais de les fermer
de peur que ceci aussi disparaisse.

Mais elles cliquettent et montent et descendent
devant mes orbites
sans que j'aie le temps de choisir larme ou sécheresse.

Dans ce cinéma
des séquences entières tiennent dans un reflet
ou sur la surface d'un verre de vin.

Je ne suis pas juge de ces passages
tout juste témoin du miracle
avec cette partie de la magie où le magicien n'est
jamais sûr d'y arriver.

Une ligne de sang
mince et rapide
remonte à contresens le ruban de satin vert
et crée son propre bruit
et son propre parfum.

Mais je ne peux pas approcher mes doigts ni tendre
ma joue.

Je voudrais tellement composer un mot de ces signes
je voudrais tellement cette caresse
je voudrais tellement briser le code
goûter l'éternité quand elle revient de loin et de
longtemps.

Je suis placé entre l'air et le souffle
je suis le support de toute couleur dans les
    arcs-en-ciels.

Je précède le bruit et je me glisse entre la pluie et l'eau.

Je n'y ai pas grand mérite.

Poète, je suis l'inventeur des évidences que j'observe
sculpteur des témoignages véritables
partageur des franchises élevées.

Or l'écho que je fais peut tarder des années à revenir
et pendant tout ce temps
        secondes ou siècles
le contenant du son et le véhicule du sens s'usent.

Le poète provoque le déclenchement de l'obturateur
    puis il s'en va.

C'est pour ça qu'il est éternel.

Caravaniers du mot

C'est toujours en silence et loin
très loin devant moi
que circulent les messagers d'une vérité
dont je distingue mal les contours.

Caravaniers aux provisions faramineuses
porteurs d'illusions
de tissus
ou d'épices
ils occupent mon horizon
et le parfum de désert de leurs vêtements
me fait dresser la tête quand je ferme les yeux.

Sans même savoir si nous avons en commun une langue
ou des mets que nous mangerions ensemble
accroupis près d'un bosquet d'épines
je sens à leur endroit une fraternité confiante.

J'ai l'impression de répéter leurs prières
quand des mots jaillissent de ma bouche
(lorsqu'un jet d'eau froide me frappe le visage)
ou si je parle dans mon sommeil.

Je ne les trouve pas toujours là où je souhaiterais les voir
mais je n'ai jamais le temps d'être triste de leur absence

D'où viendrait le salut si l'enfer n'était pas ceci que
je touche et que je pourrais remettre en question,
inverser d'un seul geste ?

Quelle chanson fait écho dans le creux de ma main ?

Et pourquoi ces mots qui sont comme des portes
fermées,
et pourquoi ces regards comme des livres effacés ?

Il y a une encre noire dans ma bouche
et je crache des phrases dépecées,
des lambeaux de rimes,
des éclaboussures d'allusions
et de moites humidités langagières.

Il y a dans ma tête un écho qui attend sa musique,
qui entrouvre ses orchestres et puis se tait ;
il y a dans ma tête un cataclysme qui refuse d'exploser ;
il y a un lendemain de la guerre et des oriflammes
rouges en soie.

Dans ce rêve, je ne compte plus les deuils,
je ne sais plus combien d'acres sont consacrées aux
cimetières
et des orphelins par milliers traversent mes terres à la
file indienne.

J'avais cru que je passerais moins de temps dans mon
corps,
que des vacances magiques m'en seraient offertes

pour les jours d'automne,
pour les lassitudes
pour les nuits insomniaques.
Mais il est toujours là toujours là chaque matin et
chaque nuit.
Il me traîne sur le même chemin
les mêmes courbes dangereuses
les mêmes paysages ennuyeux.

Pour un peu de temps, je voudrais partir de moi, puis y revenir comme un pêcheur affamé rentré de la mer avec des histoires de belles prises enfuies et de vagues énormes, mais les mains vides ;

les mains,
justement,
avec lesquelles j'ouvrirais l'anfractuosité de mon
repaire
pour m'y glisser à nouveau
et roupiller un petit moment.

Poème du poète qui se demande pourquoi

Si j'étais peintre,
je pourrais revenir quand la soirée est longue
à mon atelier et ajouter quelques traits à une ébauche
    souligner une ombre tracer une nouvelle esquisse
Musicien, je jouerais un passage difficile
    ou bien je reprendrais une pièce que j'aurais
        apprise enfant
    et qui me ferait sourire tant je m'en souviendrais
        bien

Mais je suis poète et je vois la petite machine noire
    fermée sur la table

Rien n'est en chemin
rien ne me revient
C'est le silence et c'est à recommencer cette fois-ci
    comme toutes les fois passées et toutes les fois à
        venir

Quand on est poète
on est tout le temps au milieu du chemin
    les bras ballants
à osciller entre une voyelle et un verbe

J'ai déjà dit que le grand hasard présidait à tout cela :
on jette de très haut une centaine de millions de
    milliards de petits bâtons noirs
et quelque part dans ce qu'on retrouve sur le plancher

il y a un mot qui s'est formé et c'est celui qui va
commencer la première phrase.
On cache le mot quelque part
on reprend la centaine de millions de milliards de
petits bâtons noirs moins quelques-uns
et on recommence
Puis on recommence
Il faut faire cela sans fin sans fin
jusqu'à ce que l'œuvre soit écrite
jusqu'à ce que tous les petits bâtons soient utilisés
dans des mots

Après, on relit lentement l'œuvre
on la corrige un peu on la met à jour
puis on va se coucher pour mourir

Le lendemain
il y a quelqu'un d'autre qui arrive et qui ne sait pas
lire ce langage-là
et qui reprend les petits bâtons noirs à son propre
compte
et qui redémarre l'entreprise

Un peintre nouveau, lui,
celui qui vient le matin après que le peintre d'avant
vient de mourir
il regarde le tableau
il ne le trouve pas assez beau et il peint par-dessus
il change la couleur des yeux de l'enfant
il met un peu de rose sur le sein de la dame
il sabre avec fermeté dans la toile avec son bleu
à lui

il ajoute une courbe un modelé
il crache du sang sur la toile
il trace en petits traits rageurs
dans un coin qu'il espère invisible de l'œuvre
les dates du mort encore tiède
et il poursuit l'œuvre pour la rendre sienne et
continuer l'histoire de la peinture

Être poète
c'est recommencer l'histoire comme si rien n'avait
jamais été écrit

Les mots sont partis avec les yeux qui les ont lus

> Pour moi, la vie c'est recommencer, c'est la première cellule de la première forme de vie que je brise et elle devient deux cellules et il faut que je sois patient, il faut que je brise les deux autres, et les autres encore et je ne sais pas, je n'ai jamais su, je ne saurai jamais que je savais comment aller de l'avant jusqu'au bout de la phrase jusqu'au bout de la rivière avec sons de cascades sur des pierres polies en même temps que des vagues d'océan assez hautes, assez fortes pour soulever le paquebot et l'amener jusqu'au milieu du désert, jusqu'au milieu de l'hiver pour inventer le son et la couleur, le goût et la distance entre les doigts qui supplient.

L'écrivain
est petit, petit devant le silence, petit devant demain,
petit devant l'aveugle
et il poursuit dans des dédales souterrains des
sentiers sans herbe et sans repos

Il frappe la source par ses racines
il est l'autre extrémité des montagnes
    d'où il est on ne voit rien sauf les yeux fermés
    et tout s'évapore en les ouvrant
en ces pays-là l'aube est noire
et des morceaux disparates que les peintres ont
        abandonnés
    deviennent les tic tic tic de la serrure puis les
    chuintements de la porte qui se ferme
C'est un grand bruit qui ébranle l'univers
et fait basculer les cordillères
    qu'on retrouve ensuite sur le côté
        confuses parmi les cimetières
        et le ventre parfumé des prégnances volcaniques
        et des catastrophes interrompues

C'est une affaire tellurique et c'est une affaire intime
ça se passe entre les ongles et la paume
    quand le poing se ferme et toute la violence y est
        en réserve

C'est pour que le soleil crève les paupières
c'est pour que l'eau revienne
c'est pour corriger le tracé de l'or dans les veines
c'est pour refuser l'enfer des absences
c'est pour cela que l'écrivain écrit

Et me voici, si petit, accroupi sous cet arbre
craintif et enragé
la main qui tremble au bout de mon bras qui tremble
tandis qu'entre mes cils
    des cercles éblouissants

viennent vers moi comme des planètes accélérées
et des blessures incisives

La fine pointe de cette lame
glissée entre mon souffle et mes larmes
sème des îles
et grave des vallées
dans une géographie qui m'est familière
depuis le temps

Je suis ainsi une carte que je ne sais pas lire à l'envers
et je fais mes nords de toutes les exagérations du
vent

Des oriflammes
de flamboyantes soies qui suivent au ras du sol
les oiseaux de proie
et les antilopes affolées que des jaguars chassent
ainsi mes mots que des buvards boivent
et transforment en taches floues
dont le sens se perd dans l'impact mat des choses
absurdes qui connaissent leur sort

Éclaboussure
comme le bruit d'une goutte de pluie sur le pavé
sous le lampadaire
tandis que s'éloigne le passant.

C'est une pièce secrète dont la seule fenêtre est fermée

Dans le grand coffre de l'encoignure
des objets hétéroclites

Les squelettes séchés de vipères voraces
mortes sous les coups de dents d'hyènes colériques
trop distraites pour les manger
ondulent sous les doigts impatients d'enfants curieux
que ces bibelots sonores attirent

Entre gloussements et cris
babils, gazouillements et claquements
des choses se percutent
des histoires se racontent
sous les doigts gourds aux malhabiles envies

(Ce bruit liquide et cette brisure sèche
ce sont des cavalcades près de la mer
et une échancrure entre les cordillères
que des millions d'années n'ont pas encore réussi à faire
    se rencontrer)

Et pourtant
la croûte de la planète se déplace au devant des sabots
tandis que des brassages telluriques partent du feu du
    milieu
pour tenter de reproduire
une crinière, une croupe ou une encolure

(Ces rencontres ratées du monde animal et des
entrailles de la terre disent la futilité des cavaliers)

Le temps s'est arrêté dans le sillon de l'enfance
une morne année de cinquante ans s'écoule avant que
l'étincelle ne jaillisse
et quant elle parvient là où les yeux pourraient la voir
ça n'est qu'une larme

Ainsi le feu boit son opposé
des déserts s'abreuvent
et jusqu'aux confins d'appétits géographes
des éléments se brassent et se confondent
tandis que des continents s'échangent glissent l'un
vers l'autre

Nous, les poètes
nous voyons tout de loin
et dans la perspective irresponsable qui nous est
accordée
nous pouvons en effet fendre la terre
et placer dans des coffres des osselets blanchâtres

C'est ce que des enfants vieux viennent chercher
parce que la boîte où étaient cachés ces jouets
dans le coin du grenier d'un château
n'avait pas été depuis des temps
explorée pour cause d'oubli et d'âge adulte

Et pourtant rien n'oublie
malgré que la mémoire du sable soit difficile à
 raconter
et que les lumières diagonales
fassent porter aux objets des ombres
infiniment compliquées à reproduire

Malgré les grains de sable sous mes ongles
les morceaux d'une petite bouteille cassée
la tête d'une poupée ou le camion brisé
je repousse tout ça
pour ouvrir la porte
de ma petite église.

Je suis un poète que les mots ont laissé sur le bord
du chemin.
Ils sont allés noircir d'autres pages
déplacer d'autres silences
vieillir d'autres souvenirs dans une ville lointaine
ou dans la solitude d'un autre rêveur.

Je suis un poème que l'on a oublié d'écrire
et je rêve de musiques inouïes pour occuper
d'autres secrets
je sens des grésillements sur ma peau quand le soleil
frappe
comme s'il allait marquer mon corps de sa signature
puis me ranger dans un dossier.

De tout ce que je pourrais dire
il ne restera donc rien
les premières lettres des grandes élégies que l'amour
aurait dû m'inspirer glissent entre mes cils,
devant mes yeux
comme des grains d'eau
et je remplis ainsi avec des larmes écrites des
enveloppes scellées de cire bleue.
Qui trouvera comment libérer ces signes
et puis les décrypter
pour en conclure ma vérité personnelle
pour lire ce que j'aurai voulu dire
reprendre les paroles de mes chansons
savoir le nom de tous mes deuils
dévisager la raison de tous mes bonheurs
et fixer l'angoisse du milieu de ma vie ?

Comme je partirai, je suis venu
Ce sera,
comme ça a été,
une affaire de distance.
Arrivé de très loin
    des espaces infinis flous et fluides d'un autre univers
    où il n'y avait que des îles et des nuages
        choses flottantes et mobiles
j'irai dorénavant dans le solide et l'immobile
concentré en un point martelé au centre du milieu de
    tout
où je côtoierai quelques autres poètes que les mots
        ont abandonnés
    et que l'éternité consolera ainsi
dans le plus définitif des langages.

Je ne serai pas seul dans le cimetière des poèmes
    indigestes
j'y mangerai
la nuit tombée
les lys des autres cénotaphes
ma pierre tombale sera grugée par le lichen
la plaque de cuivre gravée sera rongée par le
    vert-de-gris
mon gazon sera troué par les rongeurs :
tout un grand appétit explosera lentement
microscopiquement autour de ma carcasse
et les lecteurs venus du ciel y liront le menu d'une
    petite fringale.

Je poursuis dans ma tête des fantômes de poèmes
que la marée noie;
je taille dans le bois du langage des écorces qui font
des arbres imparfaits;
je ne sais plus si c'est le vent ou bien la pesanteur de
l'encre qui a percé ma feuille de papier barbouillée,
illisible.

Je ne suis pas tout à fait triste
je ne suis pas absolument mort
je suis seulement installé de façon un peu précaire
là où la tristesse plonge son regard dans la mort.

Si des branches bougent
si des vallées se referment
si des villes étouffent sous le sable
si de grands livres s'effacent sous la chaleur
si des chemins disparaissent dans l'herbe
si des clés fondent dans ma main
c'est sûrement pour réclamer au langage les messages
qu'il cache.

Ce que je distingue tout au bout
c'est peut-être une fontaine
c'est peut-être un gibet.
Je ne saurai jamais si c'est eau ou mort qui m'attend
    là-bas.

Ne pas poser de questions.
Laisser l'interrogation de la vie et de la mort pour le
    très lointain demain
où je m'éveillerai
    vieilli par mes rêves,
    vêtu de peaux successives,
    disponible à la sagesse,
recroquevillé couleur de pierre,
les yeux comme des guerres,
    la bouche une balafre de l'est au sud.

Une géographie innocente
un point creux dans le cratère vide
une chose éternelle et inutile.

Un seul être humain et tout le monde animal s'explique.

Je suis le témoin le coupable et la victime.
S'il n'y avait pas les mots, les lettres et les sons
il ne resterait plus de moi qu'un petit monceau de
    sable gris
une géométrie créée par la gravité ordinaire.

Mais comme moi il y en a des milliards.
Toute cette planète
    toutes les planètes
sont couvertes de petits monceaux de sable gris.

C'est un fil froid qui tisse en moi des filets de pêche
    lointaine
et la ligne interrogatrice me demande de décrire les
    ombres et l'obscurité des grands fonds
du langage, de la vie, de l'homme.

Avec l'hameçon émoussé de mes appréhensions
je ne sais pas comment choisir les mots de couleur
ni ceux des odeurs.
Encore moins ceux de l'air et du toucher.

Les ayant choisis, ces mots, en quel langage
    apparaîtront-ils
et avec eux faudra-t-il réconforter, faudra-t-il choquer ?
Faudra-t-il dire ou laisser croire ?

Je suis le témoin aux yeux fermés
et ce sont en effet les parfums qui me disent mieux
    la progression des morts annoncées.

Ça n'est pas simple, ni propre à la sérénité,
d'être ainsi envoyé en éclaireur là où il fait si noir
avec le mandat de revenir et de tout avoir vu.

Dans des jardins que d'extravagants excentriques ont
plantés puis regardés pousser pendant des
générations
je suis sûr qu'il se trouve des cavernes codées
des sentiers disparus qui refont surface la nuit
des étangs qui abreuvent en secret des roseraies que
plus personne ne voit.
C'est le rôle du poète
qui ne sait rien des plantes
de trouver ces trésors enterrés.

Ce qui m'émerveille dans cette démarche
c'est qu'avant même que tous les mots du monde
aient fait leur rime
avant même que toutes les langues du monde aient
fait leur poème
il aura fallu planter tous les arbres du monde
et qu'ils aient le mandat de la littérature.
Papetiers.

Le coton le papier les draps les lits les mots les sons
les lettres la musique les yeux
mais aussi les larmes et les soupirs
la salive et le bout des doigts
la joue qui frôle et le pied qui effleure
la peau ravie qui touche et caresse
l'entendement émerveillé et l'étonnement attendri
l'ébahissement
tout vient du mot prononcé.

Je pense à ce dictionnaire absolu
à ces littératures écrites avant que la plume ne touche
le papier
le doigt le clavier
et je crois que le hasard de nos faibles talents
les minces ressources de notre mémoire
les fragiles structures de notre invention
à nous les poètes
offrent de meilleures chances aux lecteurs et à leurs
bonheurs.

Le temps des romans n'est pas passé
Et le romancier s'interroge
Si je creuse assez loin, il ne restera plus rien à
écrire ?

Le temps pour lire n'est pas sans fin
Quand j'aurai tout lu, quelle sagesse ?

Moi je suis un peu solitaire dans cette affaire des pages
pleines
Et le soin de mon « œuvre » me tient sans souci

Qu'est-ce que je harponne avec mes tridents de phrases ?
La science des réponses m'étant difficile
quand je serais trois dictionnaires
je ne laisserais toujours
sur la page sur l'écran ou dans la poubelle
qu'un monceau de points d'interrogation…

Dans un lieu dont je tairai la porte
il y a un coffret dont j'ai avalé la clé
et dans lequel il y a un petit livre noir de mots.

Un de ces mots me parle de toi
Je me penche un peu plus et je mets mes lunettes sur le bout de mon nez
et j'approche le minuscule bout de page et je vois que c'est ton nom
La rime qu'il fait avec le reste du langage m'amène à croire
qu'il n'y a que lui qui compte ici partout et ailleurs.

Je le prononcerais bien à voix haute sur la place publique
Mais tu me dirais : pas si fort, tu vas ameuter tout le monde.

Alors je le garde par devers moi, ce code et ce talisman
Quand il fait froid il me réchauffe
Quand il fait noir il m'éclaire
Et quand tu as mal il me tue.

Qu'est-ce qu'on fait des mots qu'on oublie de dire
et qui restent sans écriture
ceux qui auraient consolé
qui auraient ému
qui auraient dit oui?

Qu'arrive-t-il aux mots qu'on aurait dû chanter
que cinquante violons attendent
qu'un chœur entier garde dans sa bouche
à la frontière des dents
à la porte du sourire?

Est-ce que des balayeurs à l'aube
prodigieux milliardaires
faramineux cueilleurs
rassemblent rimes et vers
cantilènes et sonnets
et quelles langues faut-il qu'ils parlent
quelles poésies faut-il qu'ils lisent
pour rentrer sereins à la maison et n'en parler à
    personne
n'en chanter à personne?

Ce sont des paquets délicats abandonnés
qu'on ne développe plus
ces mots rassemblés dans le noir et dans le silence
ces mots non prononcés
ces promesses que personne ne réclame
ces vérités avant le mensonge.

Partir ainsi comme les condottieri d'antan
régler quelque cause noble
asseoir l'empire
ou trouver le squelette incrusté de pierreries d'un
    ancêtre devenu dieu auprès de barbares lointains
    cruels et blonds

Prendre ce qui s'offre ici
l'éloigner jusqu'à la limite de la mémoire
puis le ramener par le chemin le plus long
pour en trouver enfin le vrai message
    cette neige délicate et pure, ce sont les eaux féroces
    des cataractes voraces qui ont érodé des cimetières
        antiques
    et en ont rapporté des particules de cervelle
    ou l'étincelle conservée du sourire d'une vierge
        sacrifiée

Il suffit de mettre un masque à tous les masques
de tourner le titre des livres vers le mur
d'inverser les tableaux
de réduire les dictionnaires
et de donner écho à toutes les musiques
    pour que les géographies autant les tendres que les
    hostiles construisent républiques pacifiques ou
    royaumes tolérants où chacun marche en
    marmonnant une prière sereine

Compter les places laissées vides autour de la table
constater que l'herbe commence à repousser dans les
    sentiers
    creusés naguère par mille promenades

sentir se briser sous les doigts
la feuille jaunie de la lettre d'amour
remonter les oublis et les regrets
les audaces et les soupirs
les velléités et les blasphèmes
sans l'amertume des vieux âges
des morts tristes
des cris sourds

Il suffit de dire le contraire du contraire
de ne jamais revenir sur la vérité
de refuser la réalité évidente
et de fuir la crudité des lumières du jour
il faut pour cela connaître ce qu'on fuit et ignorer
les prochaines humiliations et les menaces qui
nous attendent
sous le visage d'espérances et de promesses
il faut donc choisir d'ignorer le futur
et d'oublier le passé

au prix de ces choix
il m'est arrivé de trouver
comment saisir le bonheur

S'il faut déballer les vieux ballots
éventrer les valises ou épousseter les coffres
afin d'atteindre les bagages les plus intimes
les clins d'œil complices
les sourires à peine ébauchés qui harponnent le désir
les minuscules blessures des ongles ou le sillon séché
d'une larme de joie

s'il faut aller plus loin que les signes
pour ramener le premier message
et reprendre au début la première histoire vraie

j'y vais.

Quel que soit le paysage qui s'offre à moi
je tiendrai dans la main le fil qui m'attache à mon
passé.

Esclave ou libérateur   mercenaire ou cacique
je n'aurai donc plus jamais à revoir ces tristes
délabrements.

Je me vois d'ici montant cette pente douce

et je suis près de m'attendrir sur ce profil que je donne
presque touché de sagesse et de sérénité :

un vieux sans douleur et sans malheur
qui prononce ses dernières phrases de vie

et laissera judicieusement quelques mots
pour faire chapelet avec ses ultimes points de
suspension.

Un autre titre aurait pu être *Le livre des Dieux.*

Une liste
Tous les Dieux par leur nom et par leur chiffre
    dans la fraternité de leur maison
    et avec ceux qui la partagent

À dix
les Vénérés Tutélaires de la période de grossesse
À trente-trois
les Saintes Places des provinces de l'ouest
À dix encore
chacun des enfers
À un
le Grand Véhicule

Pour éviter le grand sommeil sans nombre, j'offrirai au lecteur coupable encore plus de Dieux aux noms abstrus, de Génies aux puissances vagues et menaçantes, de Généraux aux cruautés célestes et de Déesses aux bienfaits dépassés. Des Grands prêtres à l'haleine fétide.

Il faut qu'il y ait une beauté à tant de divinité
    à tant d'invention humaine qui a cherché à lire les signes incompréhensibles pour démêler la vie de la mort, l'avant de l'après, et toutes les nuances de toutes les couleurs de tous les sentiments

Il faut qu'il y ait une beauté à toutes ces évasions
vers le pardon ou vers la vengeance
vers la générosité et la cruauté

Il faut que cette beauté vienne de la foison des noms
de Dieux
de la variété immense des attributions qu'on leur
a prêtées
des innombrables visages qu'ils ont portés

Un Dieu, si on va chercher de quelle peur il est né
à quels sacrifices il répond
avec quelle indulgence il pardonne
auprès de qui il peut intervenir
sait par l'énoncé de son nom
tirer de l'ombre une partie de la vie de celui qui croit
en lui

J'irai chercher tous les Dieux
et je graverai le nom de chacun
comme le nom de tous les Diables
sur les pierres qui feront cascade dans le lit séché de
ma triste rivière

Moi mort
des enfants viendront les après-midi d'étés
pendant que les adultes dorment
faire des petits murs avec ces mots égyptiens ou grecs
avec ces syllabes pleines de consonnes
ces graphies rondes ou hachurées

Les pluies de l'automne occuperont le lit de ma
rivière
chaque pierre aura repris sa route
dans la direction du *Cimetière des Dieux et des Diables*
l'autre livre après celui-ci

Deuxième partie

Identités

il s'agit d'un homme qui est assis à une table qui se déplace lentement devant lui, une table couverte d'une fine couche de sable dans laquelle il écrit au passage des mots.

C'est sur un sable entre l'écru et le fauve que je trace ces lettres avec l'index de ma main droite, sur trois lignes d'environ un mètre de long, soit le temps qu'il faut pour que la table où je me trouve assis se déplace vers la gauche. Si je suis lent dans ce que j'écris, si l'inspiration me fait

défaut, si j'hésite sur une orthographe ou si je lève les yeux devant moi pour contempler le paysage que je suis en train d'inventer plutôt que de le décrire tout simplement, il arrive ainsi que la troisième ligne, celle du bas, ne commence pas à la marge de gauche. Mais il n'y a pas de

marge, il n'y a que des lettres que j'écris, ni tout à fait en majuscules, ni tout à fait liées, avec des ponctuations à peine ébauchées, ou des tirets un peu trop longs. Cette table doit bien mesurer deux cents mètres, ou bien elle mesure un poème et demi, je ne sais trop ; c'est une affaire de

poète fou, cette table ; de poète fou d'une île aux plages généreuses en sable fin. La couleur du sable est très importante et ça n'est pas un hasard si c'est avec la couleur que j'ai commencé ce texte ; dans un sable noir, il n'y aurait pas d'ombre pour qu'on lise facilement les mots ; dans un

sable blanc, il n'y aurait que de l'ombre et on lirait quand même moins bien les mots. Il a fallu faire venir des sables de ci et de là pour arriver à cette combinaison de couleurs qui vont, comme je le disais, de l'écru au fauve. Écru, comme dans non-blanchi ; fauve, comme dans couleur de

bête féroce. La mécanique du mouvement de la table est une autre chose qu'il faut souligner, sans aller jusqu'à en décrire les rouages et les vitesses ; tout cela a été décidé il y a longtemps, en même temps que le choix des sables, mais je ne m'y suis pas appliqué au point de me souvenir

des détails. Mais elle bouge ; elle bouge vers la gauche, bien plus rapidement que les immenses toiles destinées à la culture hydroponique où des laitues, semences à l'entrée de la serre, avancent sans arrêt sur une chaîne sans fin jusqu'à la récolte, à la sortie de la serre, cent mètres

et quatre jours plus tard. Elle bouge, la table, et je sais qu'à un moment donné, loin à ma gauche, elle s'incline et ses pattes se plient, et doucement, sans même qu'il paraisse y avoir un bruit particulier, elle vide le sable sur un trottoir souterrain qui le ramène, loin sur ma droite, au début de la table. Les mots, eux, font alors un tas au bout de la table; un petit tas invisible qui grandit et grandit, depuis le temps que j'écris, qui doit bien supporter maintenant le qualificatif d'important, d'impressionnant, de substantiel, d'énorme même; sauf qu'il est invisible

et, de toute façon, il n'y a là personne pour en juger. Je dis ça, mais je ne devrais pas puisque c'est par là que je suis entré dans l'écriture, quand je suis arrivé sur cette île pleine de sables. En touchant à terre, ou plutôt en touchant à plage, j'ai eu la distincte impression de faire face à un

amoncellement de mots; oui, de mots. Pas des lettres, des mots. C'était aussi différent que si on parlait d'une accumulation de corps humains par rapport à une accumulation d'os humains. Cette image n'est pas mauvaise, d'ailleurs, puisque la planète est un cimetière et on peut sentir, même

dans les endroits les plus désertiques, ceux où la présence de l'homme est la moins évidente, où elle a laissé le moins de traces, ceux où, probablement, l'homme n'est jamais passé, que la planète Terre consiste en un amoncellement de corps humains cachés sous la surface terrestre et, si on

se rendait sous la terre pour prouver la présence de ces corps, on ne trouverait justement que des os, pour compliquer encore le cryptage de la langue terrestre, pour rendre encore plus indéchiffrable le code humain. Quand je suis arrivé, donc, cette île était devant mes yeux comme

un gigantesque dictionnaire avec tous les mots cachés sous sa surface ou à sa surface, dans les sables; c'était des mots prêts à être écrits; il s'agissait en fait de les réenligner, de les réécrire ou, éventuellement, il s'agissait d'écrire les mots qui n'avaient jamais été écrits. Et en les écrivant,

je savais que j'arriverais un jour à les prononcer; mais une chose à la fois. Au bout de la table, à gauche très loin, le silence qui se fait quand les mots tracés dans le sable glissent vers une nouvelle écriture, ce silence n'en est pas vraiment un; c'est le prochain code à briser et si d'une

certaine façon je pouvais arriver à poncer et à polir, à amincir et à sensibiliser le bois du trottoir qui recueille le sable des mots écrits au moment où ils passent à l'invisible, il me semble que le langage deviendrait sons, que la résonance des mots de sable sur la planche de bois fin

deviendrait musique, et cette musique, pour un certain temps invisible et inaudible puisqu'il n'y a pas d'humain, que je sache, sur cette île autre que moi, en viendrait à être entendue. Peut-être que c'est moi qui l'entendrais le premier, la musique du langage, moi qui écris lentement, sur trois lignes, dans le sable entre écru et fauve, au milieu d'une table très longue, des mots que je fais surgir devant mes yeux puis que j'inscris dans une nappe de sable avec l'index de ma main droite ; un langage destiné à devenir musique, comme ces mots sont destinés à devenir un message et

un témoignage, une littérature. Car ce sable est composé des milliards d'osselets qui avaient composé, en des temps bien avant la mémoire, les os de chacune des lettres de chacun des mots de chacun des langages de chacun des peuples de chacune des chansons composées à la gloire

de chaque couleur qu'une lumière dont on ne sait plus à quel point elle était multicolore éclairait lors de crépuscules sans nuits pendant des journées sans fin. C'étaient des époques où des humains sereins, beaux, nus, lents, le plus souvent assis au bord de la terre, s'occupaient à laisser

filtrer entre leurs doigts des odeurs enivrantes, des goûts capiteux, des sensations que j'appellerais rudement, maintenant, des caresses et des étreintes

Je suis assis au bord d'une petite désespérance
ronde comme un étang tranquille et triste
où les nénuphars coulent
à la manière des radeaux décolorés
utilisés jadis pour transporter la statue de Notre-Dame
    ou la princesse du Festival de la Mer
                        vers leur couronnement

Je vous parle de moi
et je ne pense qu'à vous
Je ne respire que de votre souffle
    et l'air m'étouffe dont votre parfum est absent

Les bourgeons du printemps percent mes mains
    et je saigne comme un Christ
dans mes cérémonies somptuaires et mortuaires
nocturnes fortunes importunes

Mes richesses s'amenuisent tant
que mes regards s'affament
et le bourdon intense des ronflements du temps
morcelle et déchiquette les portraits que j'ai de vous

Je suis au milieu de tout à la périphérie de tout
et je squatte entêté les espaces qu'il reste
pour vider de ma peur les hypnotiques couteaux

Les campagnes que je mène
les guerres chez l'impie
les traversées de fleuves en crue
les saisons d'attente
les soudoiements et les feintes
les trahisons et les mises en confiance
les mariages arrangés et les répudiations stratégiques
les alliances négociées et les attaques surprises
tout cela tient sur une page
tout cela tient en un jour
tout cela tient en un geste que je fais
    et qui va chercher la lumière à l'aube puis
quelques complots plus tard
quelques bonheurs plus tard
dépose les dernières flammèches du crépuscule
    sur l'eau aux pieds de l'horizon.

Il faut briser le temps, il faut en morceler les acquis.

Mon navire ne va pas couler
l'air ne va pas fuir
la terre ne s'ouvrira pas :
                        il me faut si peu d'eau,
                        un souffle si mince, une si petite place.

Cet homme-là est resté ailleurs
au bar d'un hôtel de passe
au comptoir d'une sordide station d'essence dans un
désert
à la porte clouée d'une maison de bois rond dans un
Alaska mythique
couché sur un banc le long d'un des étangs du bois
de Boulogne
prêté sans obligation de le rendre à des saltimbanques
brisé par un train
tombé d'un très grand lit
oublié, oui
simplement oublié partout
et donc retenu nulle part.

Comme une ligne droite
sur une planète ronde
alignée avec le cosmos.

L'écho le plus sourd de la mélodie la plus lente
que personne n'entend
vibre encore un peu
c'est comme la dernière feuille qui tombe de l'arbre
de sa propre volonté
sans l'automne et sans le vent
parce qu'elle décide de partir

Homme parti
comme défunt des choses nouvelles
campé de guingois tel un objet tombé d'un véhicule
emballé

chose informe qu'on ne voit qu'au moment de la
    piétiner
ou bien solitaire morceau de pierre resté debout sur
    la colline
loin des carrières
absurde et incompréhensible
inutile et effrayant quand la foudre fend l'air

Je ne me retourne même plus
pour voir si je suis encore là
profil frileux
    qui tente de se cacher entre les portiques
    sous la pluie des plazas mayores d'Espagne
    tauromachiques.

Moi qui devais être éternel, je n'allais pas permettre
qu'on me fasse vieux.
Il y a un âge, par lequel je ne suis pas encore
passé,
et qui devait correspondre au *meilleur temps* que
j'allais utiliser
dont j'allais avoir le visage
pour l'éternité.

Un monolithe ou bien une butte
un accident de terrain ou une caverne enfouie
quelque part dans un paysage ou bien caché
j'allais n'être que moi et pour toujours.
J'aurais peut-être un nom, ou bien un chiffre,
mais on ne m'additionnerait pas autant qu'on me
saurait.

Comme un chromo sur un mur, tenu par une
punaise,
j'étais debout près du bord d'un lac,
j'étais assis au bord d'un précipice,
j'étais couché dans un lit de feuilles mortes,
j'étais en présidence et en royaume,
les bienfaits de la terre coulaient de mes mains,
les musiques se faisaient dans mon oreille,
et le parfum que je voulais sur le monde
embaumait
les rives ailleurs, les lits d'ici.

J'avais fait le vœu de sourire
j'étais engagé dans la permanence

rien n'allait me déplacer
et mon immobilité faisait tornade
je n'étais pas tant au centre
que dans l'essence de tout.

Je permettais le plus évident
et je concédais quelques orages;
incapable d'être méchant
je ne savais pas tout de la bonté non plus.

Paysages urbains et campagnes ou fleuves
des îles dans des lacs
des lacs dans des tasses
je suis si lointain et je ne me prends plus par la
main pour traverser la nuit.

Je fais des voyages transversaux
à travers des pays fantomatiques

(C'est un film qui m'a donné l'envie de retourner dans les terres hautes de Málaga, avant d'arriver à Grenade, quand les détours de la petite route cachent des ânes comme Platero.)

La montagne et la mer se confondent dans mon
  esprit las;
des marées refluent et déplacent quelques pierres
c'est comme le vent frais et le vertige
qui me font tanguer au bord de l'eau.

Je vois des navires que personne n'a jamais habités
depuis toujours sans équipage parce qu'ils se sont
  libérés
avant que la bouteille de champagne ne vienne les
  baptiser
Des caravelles ou des avisos drakkars ou pataches,
  frégates ou galéasses
dont les bauquières, la cambuse et les jaumières
n'ont jamais connu la main des marins,
mais plutôt celles des gens du sec,
de la terre ou de la mer sans sel,
mains ravinées, burinées, usinées,
ouvragées par la répétition des gestes pour la mer
  venus de la plaine sans lac
sans hêtres sans gants et même sans cicatrices.

L'amertume des joncs et la férocité des algues
on en fait des salades pour les poulpes et pour les
 raies
carassins et gonelles, lavarets, loches et lunes,
congres, épinoches et flétans,
syngnathes et tacauds,
et pour les diables et les pastenagues
scies, torpilles et spatules

Et si ce ne sont pas des joncs qu'on touille dans ces
 salades
ce seront des absinthes ou des angéliques,
badiane ou ciboule, un peu de bardane, un peu de
 belladone, un peu de bourdaine
un brin de bourrache et une feuille de valériane
 pour l'allure

(Je parle de salade, mais est-ce que je sais, pauvre ignorant, si c'est de bourcette, de doucette, de witloof ou de barbe de capucin qu'il s'agit? L'artichaut en avale sa tétragone.)

Le temps se ferme comme un couteau
et le fil de la lame luit au fond de la nuit.
En plein jour, des vallées s'ouvrent
toute la géographie nocturne a changé de bord.
Une vieillesse doublée d'une rage
tire les fils de mon souffle
et je casse des os
et je brise des mâchoires
avec une cruauté que je ne me connaissais pas.

La vérité est une ligne fine
lointaine et verte sur le fleuve
entre mon cimetière et un jardin de lunes jaunes.
Mais tout est proche tout est enchevêtré
dans le recoin de mon coude et le creux de ma main
quand je pense que tu marcheras bientôt dans mes
paysages.

L'autre montagne
celle de l'île et du port à marée basse
s'est approchée tout à l'heure par un miracle de la
divination
et fleurs et gestes
mélodies et bouts de bois
feux et larmes
ont embrasé ma cordillère
et je reste écrasé
sous une tristesse
qui noue ma gorge comme une mort.

L'angélus sonne en cette campagne sans dieux,
les clochetons de l'église percent et pleurent
à travers des arbres que j'aurais arrachés d'une seule
    main hier encore.

Pour bouger le fleuve
pour harnacher les reflets sur l'eau grise
il faudrait que je me lève et que je hurle oui.

Je suis bien trop las.
Je suis ici comme un passager en retard
dont le prochain train n'a pas commencé à venir.
Je ne compte plus les mois de grandes marées
de jetées lancées sur le fleuve
que je n'allais pas voir et dont mes fils auraient dit:
    «Ah, s'il était là ! »

Et j'y suis
et j'implore aux dessins dans le sable
aux lignes des nuages
de me dire à quoi cela a-t-il bien pu servir
    que j'y sois
si demain est blessure
et devient le fil de la lame
qui lentement entaille ma veine de vouloir vivre.

Au mi-temps de mes silences,
la musique qui la première monte en moi
a la figure d'un arbre qu'on voit de très loin
et dont l'écorce répète par ses crevasses le souffle du
vent dans l'herbe.
Si j'avais à commencer la musique quelque part,
c'est là que je le ferais
d'abord, il y aurait l'arbre,
ensuite les herbes,
puis un vent serait amené par là venu du désert
sans bruit
comme on dit d'un deuil qu'il est sans larmes
d'un océan qu'il est sans merci
d'une pierre qu'elle est sans cœur
le vent étendrait sur ces plantes un manteau
depuis toujours inhabité
tissé des fils de l'herbe, des têtes du foin, de l'espace
entre les fleurs et des fissures de l'écorce.

Après ça, devenu maître de mes propres symphonies
je ferais que la contrebasse et les noubas
instruments et ustensiles, ménétriers et diapasons
disent non monsieur le vent, non monsieur la
tempête et madame la tornade
je vais vous en faire des crissements et des pétarades,
râles et andante, gargouillis et patapouf
tout est dorénavant à ma merci.

(J'approche le pouce et l'index de la main droite et si
je pense : va-t-en le vent et ne reviens plus ! et le gras
du pouce ne touche pas le gras de l'index, la musique

c'est fini ; le bruit c'est fini et je monte au-dessus des nuages et je regarde à travers une percée, je me mets à songer qu'au mi-temps de mes silences, la musique qui la première monte en moi a la figure d'un arbre qu'on voit de très loin et dont l'écorce répète par ses crevasses le souffle du vent dans l'herbe ; si je commençais la musique quelque part ce serait là...)

C'est un silence qui vibre et caresse
    un véhicule de la distance au parfum pénétrant
Le nom des arbres tombe en aiguilles légères
    sur une page déjà brouillonne
Les traces dans l'herbe de pas et de roues
sont les confetti et rubans qu'une ancienne noce a
    oubliés

Une grande cicatrice sur la montagne
parle de vitesse et de neige
    mais si lentement
et dans l'attente sereine de l'improbable hiver
La rosée et le serein   le serein et la rosée :
    c'est l'humide dos de ta main quand elle
        enveloppe ma joue

Immobile je suis bercé
    et c'est le fleuve qui apparaît derrière mes
        paupières
    c'est le cimetière et ses érables
    c'est un endroit entre le cou et la mâchoire
        où j'imagine qu'entrerait le couteau
        si on devait pratiquer sur moi
                une chirurgie de l'extraction de
                    l'ablation de la rupture
                des mots inutiles
                des rimes ratées
                des images grises
                des poèmes illisibles

Il n'y a pas une seule fleur et il n'y a pas un seul
animal
et pourtant ce tas d'aiguilles est un porc-épic que
rien n'effraie
et pourtant ce tas d'aiguilles est un millier de
fleurs que rien ne révèle
un petit mulot se glisse vers la cuisine et interroge
notre crainte

Je vais aller dormir je vais aller sommeiller je vais partir et ne pas bouger je vais dire que j'y suis et je n'y serai qu'en corps parce que quant à l'âme faudra revenir ou plutôt faudra recommencer car mon âme est une île qu'un pont empêche de partir c'est une image bien louche et bien fade car mon âme est un peu louche et elle est très fade j'ai une âme comme un essuie-tout garanti à vie qui ne retient pas les taches et qui n'égratigne pas les porcelaines j'ai une âme comme un livre gardé sous clé d'où tombent des imparfaits du subjonctif et le plus souvent des communiqués météorologiques et quand on le sort de sa boîte quand on soulève le couvercle et que la poussière tombe sur la nappe et que les pentures de cuivre grincent et que le ruban rouge qui marque les pages tousse alors les mots qu'il y avait dans le livre sous clé de mon âme ces mots disent peut-être disent comment ça disent et après mais ils ne disent pas j'ai eu peur j'ai eu amour j'ai eu douleur ou j'ai eu faim non ils disent j'ai mangé une côtelette de porc avec de la sauce aux pommes ils disent j'ai traversé la rue au feu rouge et il y avait des gens qui la traversaient autrement ailleurs et c'est une âme qui m'aura laissé entendre qui m'aura fait croire que c'est si poétique de parler de côtelette de porc c'est si savoureux de raconter la rue et les feux de la circulation c'est un si beau si révélateur témoignage d'un siècle et d'une époque et de l'époque de l'autre siècle que de révéler ainsi l'infiniment ordinaire le suprêmement sans intérêt au bénéfice du papier noirci pour le bonheur de l'âme grise et fade pour que le louche sous-sol de ma maison s'enfonce et s'affaisse et retrouve les morts et les ossements les racines et les eaux aveugles qu'aucune espérance du sel et de la mer ne semble accompagner dans leur lent lent voyage.

Je ne me souviens plus du chemin qu'il faut
suivre jusqu'au milieu
et j'ai le tournis rien qu'à penser qu'il faudra y
retourner un jour.

Par quel vertige
dans quelle ivresse ?

Je serais un artiste du pinceau et de l'aquarelle
de jardins et de marines
de natures mortes et d'écorchés.
Il pleut, il fait noir.
Mon papier blanc me nargue et m'avale.
Sa texture me blesse
et je parcours avec mes doigts ce désert grumeleux
    de la couleur du sel.

Je serais un musicien
un compositeur de vastes symphonies
des portées devant moi de la longueur de fleuves
des plumes d'oie affilées
    aiguisées à la lame vive
    buveuses et gricheuses.
Les musiciens dorment les instruments rouillent
je pleure ma mélodie silencieuse.

Je suis venu parce qu'un grand véhicule
    en route pour ailleurs
m'a échappé sur la terre.
J'ai miraculeusement survécu.
De rebondissements en guérisons
de trébuchements en noyades
je me présente ici à vous
debout et improbable
étranger chez moi-même
oublié de mon premier itinéraire.

Je parle de moi mais je veux dire lui.
Je le vois qui monte la garde près de mon lit
avec son parasol et ses pantoufles.
Il ne me laisse jamais.
Je le déteste plus que je ne m'aime
mais je prends sa main pour ouvrir chaque porte
son clavier pour écrire chaque poème.

Je suis ici devant vous
mais vous oubliez mon nom
vous entendez ma voix
mais vous oubliez mon visage.
Si je m'absente et si le silence tombe
croirai-je que ces trois lignes et un mot resteront
quelque part en vous à côté de vous
le moment que je mets à être
à avoir été
puis mort.

Je glisse parmi les sons et les couleurs
je titube et je m'étends par terre
puis je dors et m'envole
je pars
j'ai le goût des poires et de la teinte des poireaux
mes mains battent comme des moulins que mes bras
n'arrivent pas à attraper
car c'est chaque jour blessure.

C'est un refuge ouaté
si je dresse la main je déplace une harpe
à chaque pas je trébuche sur des archets
les partitions s'enchevêtrent
et des clés qui ouvrent des tabernacles jonchent le sol

C'est un endroit moelleux
les sons circulent comme si les vêtements
    n'existaient pas
ma peau boit chaque note
comme une eau de source
                couleurs et lumières imprimées
                à l'intérieur de mes paupières

Toutes les larmes que j'ai jamais pleurées
                filtrées par ces stridulations irisées
d'un vert tellement intense
qu'il éblouit encore les hivers les plus blanc-bleu

C'est la caverne découverte derrière un buisson
    ou à marée basse
c'est la maison dans l'arbre
c'est le premier avion de papier qui vole
c'est l'abri de branches d'où après la pluie
    démarre l'arc-en-ciel

Ce sommeil liquide me berce et m'éveille
et je ne suis plus de cette planète :
    mais plutôt le passant léger
    que le bonheur attend quelque part

J'ai un rendez-vous avec mon enfance
dans des paysages dont il ne reste que de confuses
ébauches

D'où que viennent les vents
mon silence les repousse
et dans cette cloche de tranquillité
je contemple une nature déchaînée qui me protège
de la solitude.

Je m'imagine au faîte d'un phare
et je comprends mieux les marées et les équinoxes
même si je ne sais rien des sirènes et des faisceaux
lumineux
dans la nuit et le brouillard.

Capitaine de terre ferme,
navigateur de vallées ou de déserts,
les images de la mer m'accompagnent dans mes
sèches campagnes.

Puisque j'ouvre si rarement les yeux,
je pourrais aussi bien être aveugle.

Je veux peindre un tableau
bien trop grand pour la pièce où je veux l'accrocher.

Que faire de cet intérieur plus grand que son extérieur ?

Je vais peindre dans mon tableau la pièce où il
se trouve.

Puis je vais m'asseoir par terre
dans un coin du tableau
les bras autour des genoux.

Et je vais te regarder dans les yeux.

Jusqu'à ce que tu viennes visiter ma maison folle.

Moi qui n'ai jamais eu de véritable adresse
moi qui n'ai jamais su au juste quelles terres
pénétraient mes racines
tant je les avais depuis longtemps coupées

moi qui reniflais tous les vents nouveaux
comme s'ils allaient m'apporter un cri de mon
enfance
moi qui pleurais pour tout et pour rien
quand les oiseaux passaient en formations dans le
ciel
que ce soit vers le nord
que ce soit vers l'ouest
moi qui parlais avec tout le monde sans accent
mais aussi sans familiarité

c'est un profond sentiment de résidence qui me
happe ici
une voix définitive.

TABLE

Cet ouvrage, composé en Bodoni corps 11 et demi
sous la direction de
Louise Blouin et Bernard Pozier,
a été achevé d'imprimer pour le compte de l'éditeur
Écrits des Forges, en août 2003
sous la supervision de

1497 Laviolette, Trois-Rivières, Québec, Canada

tél. : 1.819.376.0532
téléc. : 1.819.376.0774
internet : compo2000@tr.cgocable.ca

Imprimé au Québec